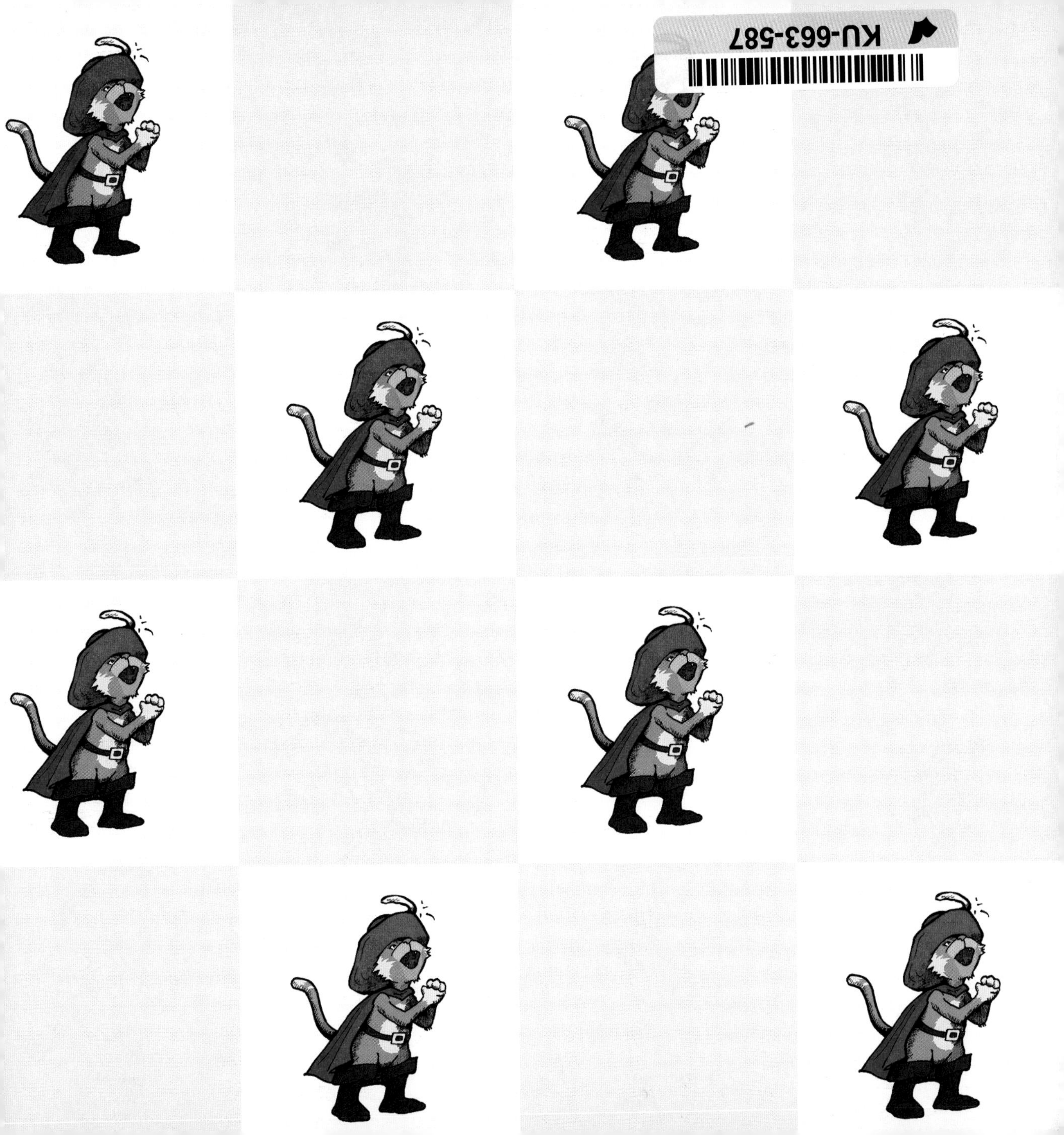

editorial**Sol90**

CUENTOS INFANTILES

© 2004 Editorial Sol 90, S.L. Barcelona

© De esta edición 2005, Diario El País, S.L. Miguel Yuste, 40, 28037 Madrid

Todos los derechos reservados

ISBN: 84-96412-66-0

Depósito legal: M-2543-2005

Idea y concepción de la obra: **Editorial Sol 90, S.L.**

Coordinación editorial: **Emilio López**

Adaptación literaria: **Alberto Szpunberg**

Ilustraciones: **Lancman Ink.**

Diseño: **Jennifer Waddell**

Diagramación: **Teresa Roca**

Revisión editorial: **Santillana Ediciones Generales, S.L.**

Producción editorial: **Montse Martínez, Marisa Vivas, Xavier Dalfó**

Impreso y encuadernado en UE, abril 2005

EL PAIS

El gato con botas

Basado en el cuento de
Charles Perrault

Ilustrado por Lancman Ink.

Había una vez, en un curioso reino, un molinero muy pobre que, a punto de morir, repartió sus únicos bienes entre sus tres hijos:

–El mayor recibirá el molino; el segundo, el burro, y el tercero, como no me queda más que repartir, el gato.

–¿El gato? –se sorprendió el hermano menor.

–No soy poca cosa, mi amo –maulló, ofendido, el gato–. Soy muy inteligente.

–Vosotros dos –se lamentó el pequeño–, con el molino y el burro, podréis seguir produciendo harina, pero yo...

–No te preocupes... –le contestaron sus hermanos–. Donde comen dos, comen tres...

El más joven, sin embargo, no podía conciliar el sueño. Y es que el chico estaba muy preocupado por su futuro.

Pero una noche, el gato trepó a la cama de su dueño, llegó hasta la almohada, y le susurró al oído:

–Duerme tranquilo, querido amo... Yo te ayudaré...

Al día siguiente, el gato fue hasta el trastero y se calzó unas viejas botas, se echó al hombro una bolsa y se marchó al campo.

A mitad del camino, metió un manojo de hierba en la bolsa y la dejó entreabierta entre los matorrales. Luego, se acostó sobre la tierra y se hizo el dormido.

En menos que canta un gallo, dos conejillos se metieron en la bolsa, atraídos por el delicioso olor de la hierba. Pero el gato, que era muy astuto, pegó un salto, tiró de los cordones y, con la bolsa bien cerrada al hombro, reanudó su camino.

Después de caminar un buen rato, llegó al palacio del rey y se presentó al guardián de la puerta.

–Soy el gato con botas, y me envía mi amo, el marqués de Carabás –se inventó–. Necesito hablar con Su Majestad. Mi amo le envía un regalo...

Y como lo que más le gustaba a Su Majestad era recibir regalos, el guardián concertó rápidamente la entrevista.

–¡Oh, Majestad! –le dijo el gato con botas al rey–. Me envía el marqués de Carabás, mi amo. Quiere que os entregue este presente: dos conejillos para vuestro criadero, tan famoso en todo el mundo...

El rey, que estaba maravillado de ver a un gato con botas, se frotó las manos con gran alegría y exclamó:

–¡Gracias, mil gracias! ¡Transmítele al marqués de Carabás mi agradecimiento!

El gato con botas repitió la misma operación varias veces, hasta que, un día, el rey le dijo:

—Dile a tu amo, el marqués de Carabás, que me encantará conocerlo cuanto antes...

Convertido ya en amigo del guardián de la puerta, el gato con botas se enteró de que el domingo al mediodía el rey iría a pasear con su hija por la orilla del río.

En cuanto supo la noticia, el gato salió pitando para ver al hijo menor del molinero.

—Este domingo, al mediodía, debes bañarte en el río... —le dijo—. Y no te olvides: de ahora en adelante, yo soy el gato con botas y tú el marqués de Carabás... ¿lo has entendido, amo?

El domingo al mediodía, el hijo menor del molinero fue al río, se quitó la ropa y se zambulló en el agua, que, por cierto, estaba muy fría.

El gato con botas fue hasta el lugar donde su amo había dejado la ropa y la guardó en la bolsa. Después, esperó a que el carruaje real se acercara y comenzó a gritar:

–¡Socorro! ¡Socorro! ¡Mi señor, el marqués de Carabás, se está ahogando!

Al oír los gritos, el rey asomó la cabeza y reconoció al gato con botas. De inmediato, ordenó a sus guardias que auxiliasen al marqués de Carabás. Y mientras que los guardias sacaban al joven del agua, el gato con botas se acercó al rey y le dijo:

–Gracias, Majestad, mil gracias... Pero, por lo visto, en el tumulto, algunos ladrones le han robado a mi amo la ropa...

Entonces, el rey ordenó a sus guardias que fuesen a buscar las más bellas vestimentas para el marqués de Carabás.

La princesa quedó maravillada cuando vio a su lado a un joven tan apuesto y tan bien vestido.

–Marqués de Carabás –exclamó el rey–, quiero agradeceros los presentes que me enviasteis y presentaros a la princesa, mi hija...

La princesa tembló al extender la mano, y el hijo menor del molinero se puso más pálido que la harina al besar la mano de la princesa.

–Ahora –gritó contentísimo el rey–, ¡vayamos todos al palacio!

El gato con botas se adelantó al séquito y corrió por el campo, diciendo a los campesinos:

–Escuchadme: si os preguntan de quién son estas tierras, decid que pertenecen al marqués de Carabás... Si no lo hacéis, los gatos del reino dejaremos de perseguir a los ratones y los cultivos se arruinarán...

–Pero... –decían temerosos los campesinos–, estas tierras pertenecen al Gran Ogro, para quien trabajamos...

–No os preocupéis –les contestaba el gato con botas–, yo me encargo de él...

Entretanto, el séquito real avanzaba. Desde su carroza, el rey observaba los campos rebosantes de trigo. Maravillado, enviaba a sus hombres a que preguntasen a quién pertenecían tan ricas tierras. Todos los campesinos contestaban:

–Estas tierras son del marqués de Carabás…

El rey, orgulloso de tener a su lado un huésped tan rico, no dejaba de felicitar al marqués. Este, en cambio, solo tenía ojos para la princesa.

Ni corto ni perezoso, el gato con botas se encaminó hacia el castillo del Gran Ogro.

Una vez más, ser un gato y calzar botas fascinó a los guardias. Pronto estuvo ante el Gran Ogro.

–No quería pasar junto a vuestro castillo sin saludaros... –hizo una reverencia–. Según cuentan, sois capaz de convertiros en el animal más terrible del mundo...

Vanidoso como él solo, el Gran Ogro respondió:

–Por supuesto que soy capaz...

Y rápidamente se convirtió en un león. El gato con botas se pegó un susto de campeonato cuando aquel animal soltó su primer rugido. Con habilidad felina, trepó a un armario y desde allí alcanzó a decir:

–Os podéis convertir en el animal más terrible del mundo, pero no en el más grande…

En un santiamén, el Gran Ogro se convirtió en un gigantesco elefante. El gato con botas se acercó a una de las inmensas orejas y dijo:

–Sí, Gran Ogro, os podéis convertir en el animal más terrible del mundo y también en el más grande, pero no en el más pequeño...

No había terminado de hablar cuando el Gran Ogro se convirtió en un pequeñísimo ratón. El gato con botas no tuvo problemas para cazarlo y encerrarlo en su bolsa.

Cuando el cortejo real estaba a punto de pasar frente al castillo del Gran Ogro, el gato con botas se cruzó en el camino.

–Oh, Majestad… –exclamó–. ¡Bienvenido al castillo del marqués de Carabás!

–¿Cómo? –el rey, asombrado, se dirigió al marqués–. ¿También este castillo os pertenece?

El hijo del molinero no salía de su asombro. Gracias a aquel gato, en pocos días había cambiado su suerte. Y, sobre todo, estaba enamorado de una princesa guapísima. El rey, que era un lince para darse cuentas de estas cosas, le dijo:

–Solo dependerá de vos, señor marqués, que seáis mi yerno.

La boda entre el marqués de Carabás y la princesa no tardó en celebrarse. Así llegó el día en que, al morir el rey, el marqués de Carabás heredó el trono.

Los hermanos del marqués se instalaron en el palacio, y el gato con botas se convirtió en primer ministro.

Lo primero que hizo el gato fue pedirle al Gran Ogro que se convirtiese en su amigo. Y el Gran Ogro aceptó encantado.

fin

Actividades

¡Vaya desorden!

Reconstruye las siguientes palabras que aparecen en e cuento, ordenando correctamente sus letras.

g d o i u r = _____

o l m i o n = _____

s r a é m q u = _____

o t a g = _____

Una adivinanza

¿Qué animal de buen olfato,
cazador dentro de casa,
rincón por rincón repasa
y lame, si pilla, un plato?

¿Quién lo ha dicho?

Relaciona el personaje con la frase que ha pronunciado. Para ello, escribe en el círculo en blanco el número que corresponda.

1. Por supuesto que soy capaz...

2. Duerme tranquilo, querido amo... Yo te ayudaré...

3. El mayor recibirá el molino...

4. ¡Transmítele al marqués de Carabás mi agradecimiento!

¿Recuerdas?

Lee atentamente estas preguntas relacionadas con el cuento y marca con una cruz la respuesta correcta.

(1) ¿Qué deja el molinero al mayor de sus hijos?

☐ Un apartamento en la playa.

☐ Un molino.

☐ Una colección de cuentos.

(2) ¿En qué animal se transforma el Gran Ogro la primera vez?

☐ En un león.

☐ En un ratón.

☐ En un gato.

(3) ¿Qué le regala el gato con botas al rey?

☐ Una pluma de plata.

☐ Dos caballos.

☐ Dos conejillos.

El crucigrama

Lee las frases atentamente y escribe las soluciones en sus correspondientes casillas numeradas.

Horizontales

(1) Las lleva puestas el gato.

(2) Se transformó en ese animal y el gato lo cazó.

(3) A este personaje le gusta mucho recibir regalos.

Verticales

(1) Le llamaban el Gran...

(2) El marqués de...

(3) El ogro se convirtió en ese fiero animal.

– 41 –

Ordena la historia

Como ya conoces la historia de *El gato con botas*, te será fácil numerar las ilustraciones por el orden en que aparecen en el cuento.

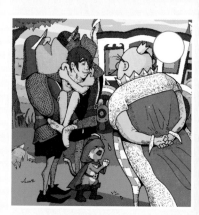

¿En el mismo saco?

¿Cuáles de estos animales caben en el saco que lleva el gato con botas? Escribe el número correspondiente sobre el saco.

1

2

3

4

5

6

Completa

Al copiar este fragmento de la página 18 han volado algunas palabras rebeldes. ¿Puedes volver a colocarlas en su sitio?

El gato con _____ fue hasta el lugar donde su _____ había dejado la ropa y la guardó en la _____. Después, espero a que el _____ real se acercara y comenzó a gritar:

–¡Socorro! ¡Socorro! ¡Mi señor, el marqués de _____, se está ahogando!

carruaje

amo

Carabás

botas

bolsa

Soluciones

■ Página 38

rugido, molino, marqués, gato

Adivinanza: **el gato**

■ Página 39

■ Página 40

(1) Un molino. **(2)** En un león.
(3) Dos conejillos.

■ Página 41

			2				
	1	C					
1 B	O	T	A	S		3	
	G		R			L	
	R		A	3 R	E	Y	
	O		B			O	
	2 R	A	T	O	N		
			S				

■ Página 42

De izquierda a derecha y de arriba abajo: **5, 1, 2, 6, 4, 3**

■ Página 43

2, 3, 6

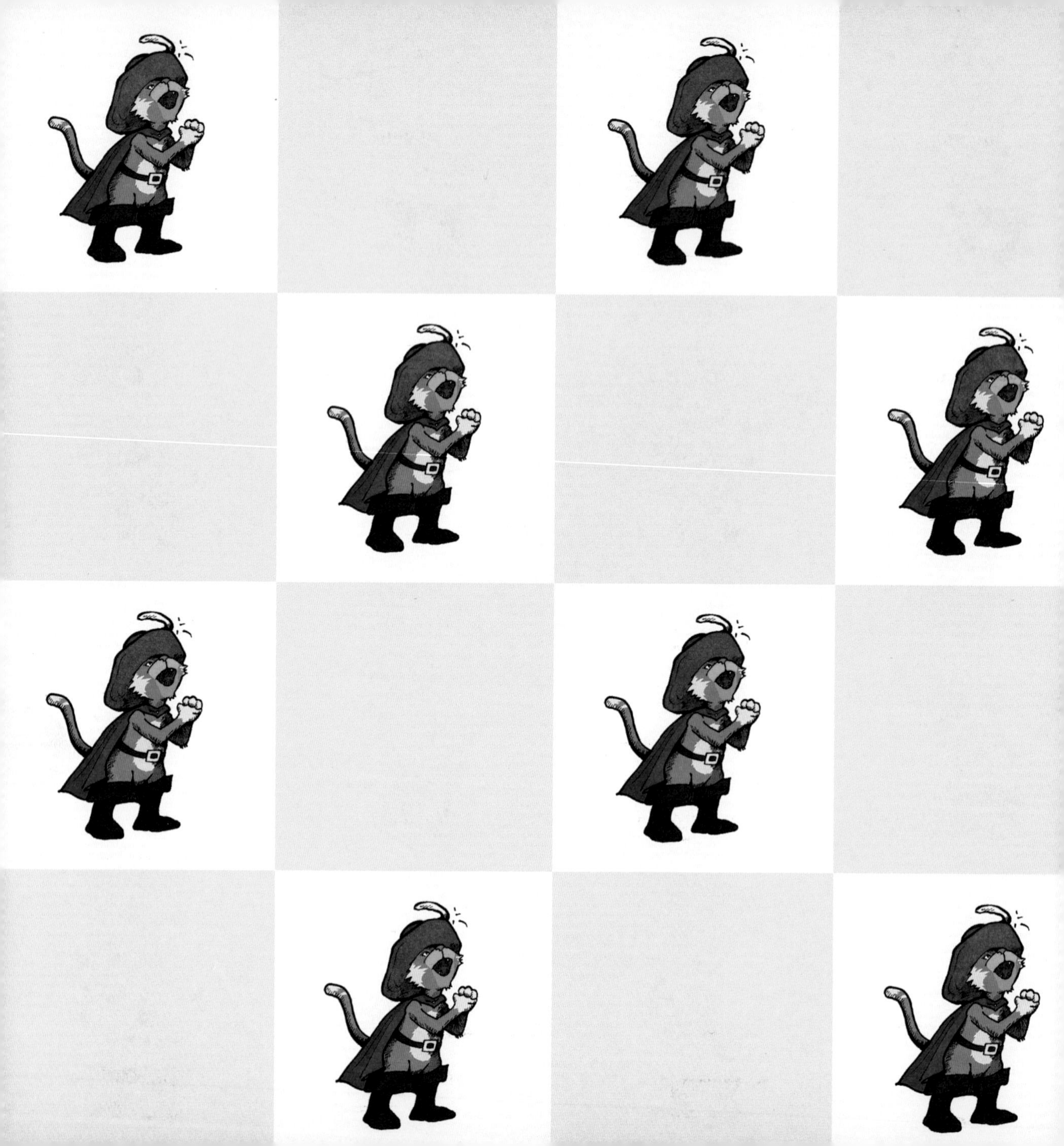